Ned a Moi yn Pysgota

Argraffiad cyntaf: 2015

Dymuna'r cyhoeddwyr gydnabod cymorth ariannol Adran
Addysg a Sgiliau (ADaS) Llywodraeth Cymru.

Dylunio: Richard Ceri Jones

Rhif Llyfr Rhyngwladol: 978-1-78461-220-7

Cyhoeddwyd ac argraffwyd yng Nghymru
ar bapur o goedwigoedd cynaladwy gan
Y Lolfa Cyf., Talybont, Ceredigion SY24 5HE
gwefan www.ylolfa.com
e-bost ylolfa@ylolfa.com
ffôn 01970 832 304
ffacs 832 782

Ned a Moi yn Pysgota

Haf Llewelyn

Lluniau Valériane Leblond

Dyma Ned.
Morwr ydy Ned.

Mae Ned yn y cwch.

Dyma Moi Cnoi.

Mae Moi Cnoi yn y cwch.

Mae Ned a Moi Cnoi
yn pysgota.

Ci da ydy Moi,
ond mae Moi yn cnoi.

Mae gan Moi ddannedd mawr.
Dannedd mawr, mawr.

O na!

Mae Moi yn cnoi…

welis Ned,

het Ned

a rhaff Ned.

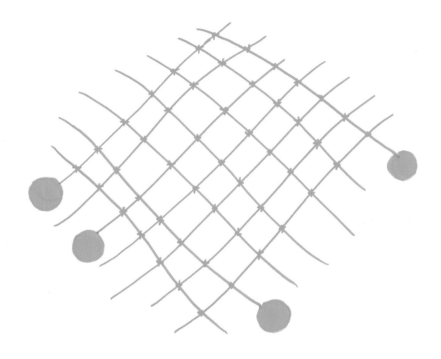

Dyma'r rhwyd i ddal pysgodyn.

O na!

Mae Moi yn cnoi rhwyd Ned.

Twt lol, Moi Cnoi!

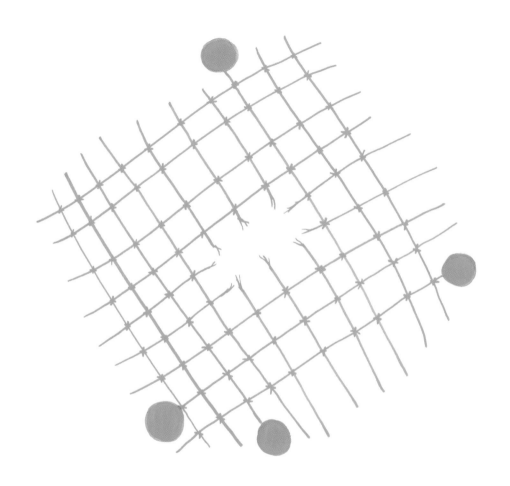

Mae twll yn y rhwyd.

Sblish, sblash.

Mae cwch Ned a Moi
ar y môr.

Mae Ned a Moi Cnoi
yn pysgota.
Ble mae'r pysgod?

Dyma bysgodyn yn dod!

Mae pysgodyn yn y rhwyd.
Pysgodyn mawr fel cawr.

Mae Ned wedi dal pysgodyn
mawr fel cawr!

O na! Mae twll yn y rhwyd.

Ble mae'r pysgodyn?
Twt lol, Moi Cnoi!

Geiriau ychwanegol Llyfr 3

pysgota	dannedd
Da iawn wir!	rhwyd
pysgodyn	dal
Ble	pysgod
fel	does
dim	cawr

Cyfres Ned y Morwr 1

Ned y Morwr

Haf Llewelyn
yLolfa Lluniau Valériane Leblond

Cyfres Ned y Morwr 2

Ned a Moi Cnoi

Haf Llewelyn
yLolfa Lluniau Valériane Leblond

Cyfres Ned y Morwr 3

Ned a Moi yn Pysgota

Haf Llewelyn
yLolfa Lluniau Valériane Leblond

Cyfres Ned y Morwr 4

Moi a'r Siarc

Haf Llewelyn
yLolfa Lluniau Valériane Leblond

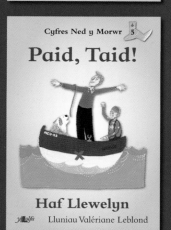

Cyfres Ned y Morwr 5

Paid, Taid!

Haf Llewelyn
yLolfa Lluniau Valériane Leblond

www.ylolfa.com